Lecturas

Nivel 3

EL RETRATO DE ELSA

Mª Rosa Gutiérrez Benítez

Dirección
Mª Isabel Martín Herrera

Primera Edición, 1990

Juan Álvarez Mendizábal, 65
28008 MADRID-ESPAÑA
Tf. 91-2485736/91-2481530
FAX 91-5346320

Avda. Valdelaparra, 29
28100 ALCOBENDAS-(Madrid) ESPAÑA

CUBIERTA Y DISEÑO: Miguel Ángel Blázquez Vilar
ILUSTRACIONES: Enrique Ibáñez

TRADUCCIÓN:
INGLÉS: Marisa Escobar
FRANCÉS: Eliezer Bordallo
María Moreno
ALEMÁN: Veronika Beucker

ISBN 84-7861-017-0
Depósito Legal M-24261-1990
Impreso en España-Printed in Spain

EL RETRATO DE ELSA

I
EL ANUNCIO

Oscurece sobre la ciudad de León. Son las seis de una fría tarde de invierno. El reloj de la Catedral acaba de dar sus lentas y monótonas campanadas.

Un edificio antiguo de la ciudad. Casi todas las ventanas del mismo están iluminadas. Una ventana del tercer piso tiene una luz muy tenue. Quien esté allí dentro, no debe estar haciendo nada importante.

Tendido en la cama, la habitación iluminada por una vela colocada en un candelabro* de bronce, Simón Pérez fuma y piensa. Le gusta estar así, con la luz eléctrica apagada, fumando y descansando después de un aburrido día de trabajo.

Piensa en la vida que lleva y en la que le gustaría llevar. Da clases de dibujo en un colegio de monjas de la ciudad, a niñas de 10 a 16 años que hablan, ríen, chillan y se interesan muy poco por las técnicas de dibujo que Simón pretende enseñarles.

Pero necesita seguir con ese trabajo. El sueldo no es elevado pero le permite *ir tirando*[1] hasta que encuentre algo mejor. A las niñas intenta soportarlas lo mejor que puede, a las monjas trata de no verlas, de no hablar con ellas, solamente el último día del mes se acerca al despacho de la Directora para recibir su sueldo.

Lo que realmente no puede soportar es la ciudad. La sombra de la Catedral parece proyectarse sobre sus habitantes e infundirles su sello. El ambiente es cerrado y provinciano. A Simón le parece que todo el mundo se ocupa de él. Si no sale de casa, dicen de él que es un solitario, un personaje extraño. A veces, sale de noche y frecuenta las barras americanas, los clubs de *mala nota*.[2] Allí, solitarios, como él, beben en compañía y cuentan sus problemas sin necesidad de que otros los escuchen. En ese caso, dicen que es un borracho, que no debería dar clases en un colegio de monjas.....

Por eso, lo mejor es beber y fumar en casa y dejar correr la imaginación.

Piensa en el pasado. Estudió en Madrid, hizo la carrera de Bellas Artes. Quería ser pintor, tener fama, dinero. Quería que sus obras colgasen en los mejores museos del mundo. Estaba lleno

---

1 *Ir tirando: ir viviendo, pero con dificultades económicas.*
2 *De mala nota: de mala fama.*

de ilusiones, de sueños. Le gustaba, sobre todo, hacer retratos. En la Escuela de Bellas Artes, todo el mundo lo alababa. Había pintado a la mayoría de sus profesores y a muchos de sus compañeros. Todos habían quedado muy contentos con su retrato. Incluso había ganado un par de premios en diferentes concursos de pintura.

Acabó la carrera. Al principio tuvo suerte. Consiguió unos cuantos encargos, hizo varios retratos y alguna otra cosa. No ganaba mucho, pero *iba saliendo adelante*.[3] Era cuestión de tener paciencia, pronto tendría más encargos, se haría famoso, ganaría dinero .....

Y de pronto, todo cambió. Nadie le pedía que le hiciera un retrato, no conseguía ningún encargo, sus escasos ahorros se acabaron. Llegó un momento en que no pudo pagar el alquiler de la casa en que vivía.

Sus padres habían muerto hacía unos años y como única herencia le habían dejado una casa en León, la casa familiar en la que había vivido cuando era un niño.

Se trasladó a León. Al menos allí no tendría que pagar alquiler. Consiguió trabajo como profesor de dibujo y aquí estaba, deseando escapar

---

3 Ir saliendo adelante: en este caso, ganar lo suficiente para vivir.

y sintiéndose prisionero de la ciudad.

El reloj de la Catedral volvió a sonar. Dieron las diez. Simón se levantó de la cama y se dirigió a la cocina para prepararse algo de cenar.

***

5 Los domingos, Simón se levantaba muy pronto, le encantaba pasear por la ciudad a esas horas, pues las calles estaban vacías. De la cercana cordillera* Cantábrica venía un aire helado que le hacía estremecerse y que le recordaba la 10 infancia, cuando por las mañanas salía, helado de frío, para dirigirse al colegio.

Hacia las diez, la ciudad comenzaba a despertarse. Entonces, Simón entraba en un café, desayunaba, compraba los periódicos de la provin- 15 cia y los de Madrid y se marchaba a su casa, dispuesto a meterse en la cama y a no salir en todo el resto del día. Pasaba el tiempo leyendo la prensa y fumando. Cuando sentía hambre, se dirigía a la cocina y comía lo que encontraba: 20 fruta, queso, conservas, restos de comida del día anterior, etc...

Este domingo, Simón caminaba deprisa hacia su casa. Apretaba los periódicos doblados debajo del brazo con cierta ansiedad. Tenía ganas de estar en la cama, de empezar a leerlos. Pasó por delante de una panadería. Olía a pan recién hecho, a bollos calientes. No pudo resistir la tentación y entró. Una barra de pan y unos cuantos bollos, completarían su dieta del domingo.

Llegó a su casa y se tendió encima de la cama con todos los periódicos esparcidos* a su alrededor. Siempre empezaba a leerlos por la sección de ofertas de trabajo. No había perdido la confianza en encontrar algo que le permitiera salir de esta triste ciudad de provincias en donde había transcurrido su infancia y adolescencia y en donde ahora se veía obligado a pasar parte de su juventud.

Los periódicos traen muchas más ofertas de trabajo los domingos que el resto de los días de la semana. Simón recorre con la vista los diferentes anuncios. Siempre piden lo mismo: jefes de ventas, directores de publicidad, economistas, ingenieros. Son trabajos que Simón no puede realizar de ninguna manera, aunque le gustaría, ya que los sueldos son elevadísimos.

De pronto, algo llama su atención. Es un anuncio grande, de media página y su contenido es totalmente diferente a los que Simón ha leído en su vida:

Se necesita
PINTOR
especializado en retratos
Magnífica oportunidad para jóvenes pintores
Enviar fotografía y «currículum»[4]
al Apartado de Correos 1.345–Barcelona

Simón se frota los ojos, "no puede ser, estoy viendo visiones –piensa– ¿estaré borracho?, pero, si no he bebido nada".

Vuelve a leer el anuncio, lo toca, se convence de 5 que es cierto. "¡Qué cosa más rara! ¿Desde cuándo se buscan pintores por el periódico? ... Sin embargo, no pierdo nada por contestar al anuncio".

Se tira de la cama y se dirige hacia la máquina de escribir. Febrilmente* pone los dedos en las teclas y 10 hace su "*currículum*". No queda satisfecho, quita el folio de la máquina, lo arruga y lo tira a la papelera. Pone un folio nuevo, vuelve a escribir, a tirarlo, etc... y así hasta cinco veces, hasta que le parece que ha explicado bien todos sus trabajos anteriores.

15 "¿Y la fotografía? ¿Dónde puedo tener una fotografía?" –piensa.

Revuelve cajones, carpetas, viejos sobres de cartas. Nada, no aparece ninguna fotografía. "Y

---

4 Currículum: antecedentes profesionales de una persona.

hoy es domingo –sigue pensando Simón– los estudios de fotografía estarán cerrados. Tendré que esperar a mañana".

De pronto recuerda las máquinas automáticas. Las ha visto en distintos lugares de la ciudad, aunque ahora no puede recordar exactamente dónde. "No importa –se dice–. Preguntaré".

Baja rápidamente a la calle y se dirige al bar de la esquina.

"Oye Paquito, –le dice al chico que sirve en la barra– ¿sabes dónde hay una de esas máquinas que hacen fotografías?".

"¿Qué pasa? –pregunta Paquito– ¿es que se va a hacer el pasaporte o a renovar *el carnet*?[5], ¿no sabe que hoy es domingo? Ande don Simón, déjese de máquinas y tómese un café. Invita la casa".

"Gracias chico, pero tengo mucha prisa. ¿Sabes dónde hay una de esas máquinas, sí o no?".

"Claro que lo sé. Enfrente de la Catedral hay una y también hay en la Estación de Autobuses y cerca de ....."

"Gracias Paquito".

"¿Pero adónde va tan deprisa? Espere, ¿qué pasa con el café?".

---

5 *El carnet: Documento Nacional de Identidad.*

Simón se mete en la cabina de una máquina, echa las correspondientes monedas y espera. El primer fogonazo* del flash lo deslumbra, luego, más relajado espera los otros tres. Sale de la cabina y espera en la calle a que aparezcan sus fotografías por la ranura* de la máquina. Cuando salen, Simón se queda espantado, ha salido con cara de presidiario*. Las cuatro fotografías son horribles. Indeciso, no sabe si repetir la operación o marcharse a su casa y enviar la solicitud rápidamente. Se decide por esto último. "*Al fin y al cabo*[6] –piensa– lo importante de un pintor son las manos, no la cara".

---

6 *Al fin y al cabo: expresión que reafirma lo que se acaba de decir o pensar.*

II
EN BARCELONA

La semana pasó velozmente. Los primeros días, Simón estaba impaciente. Esperaba una respuesta, después se olvidó de ello. Le parecía que alguien había querido gastar una broma; o peor aún, hacer una estadística sobre cuántos pintores buscaban trabajo.

El domingo siguiente volvió a leer la prensa, tumbado encima de la cama, esta vez, no se preocupaba de leer los anuncios. De pronto sonó el teléfono.

"Sí, dígame".

"¿Señor Pérez?" –preguntó una voz con un acento extraño.

"Sí, soy yo. Dígame qué desea" –contestó Simón.

"Soy la secretaria del señor Molta. Hemos recibido su carta y creemos que es usted el hombre que necesitamos".

"¿Me necesitan? ¿Para qué?" –preguntó Simón.

"Para retratar a la señora Molta. ¿No es usted pintor?".

"Oh, por supuesto, naturalmente. ¿Cuándo

puedo empezar?" –preguntó Simón, contentísimo.

"Inmediatamente. Pero tendrá que desplazarse a Barcelona. La señora Molta no puede ir a León".

"No hay ningún problema –dijo Simón, mientras pensaba todo lo contrario, tendría que dar alguna explicación en el colegio–. Voy cuando ustedes quieran".

"Mañana entonces –dijo la secretaria–. En el aeropuerto de Barajas tendrá un billete de primera clase reservado a su nombre en el mostrador* de *Iberia*,[7] para cualquier avión del *puente aéreo.*[8] Cuando sepa en qué avión va a venir nos lo dice y enviaremos un coche para recibirlo".

"Muy bien. Hasta mañana entonces".

Simón colgó el teléfono. No acababa de creerse su buena suerte. ¡Le habían elegido a él! Pero, ¿por qué? A un pintor no se le selecciona así. Había algo raro en todo el asunto, pero decidió pensar solamente en los aspectos positivos. Viajaría a Barcelona. Era una ciudad maravillosa. Simón tenía buenos recuerdos de sus anteriores visitas. Había ido varias veces en la

---

7 Iberia: compañía aérea española.
8 Puente aéreo: vuelos que enlazan Madrid y Barcelona cada hora.

época en que aún tenía encargos. Había frecuentado los bares y los restaurantes del *Barrio Chino*[9] y le había encantado su ambiente duro y al mismo tiempo acogedor.

"Pero, ¿qué voy a decir en el colegio?" –pensaba Simón. No podía marcharse sin decir nada y arriesgarse* a perder el empleo. Decir la verdad era imposible. Si decía que estaba enfermo, las monjitas vendrían a hacerle una visita. Decidió pedir un mes de permiso y buscar a un amigo para que le sustituyera*. Incluso en una ciudad pequeña como León no era difícil encontrar a un profesor de dibujo con ganas de trabajar.

***

Cuando a la mañana siguiente sonó el despertador, Simón se levantó sobresaltado*. Era de noche y tenía la sensación de haber dormido muy poco. Miró el reloj. Las cuatro y media de la mañana. Entonces recordó que hoy no era un lunes más, que hoy empezaba una nueva vida, que iba a Barcelona, que tal vez no volviera a León.

Saltó de la cama, se duchó, se arregló y con

---

9 *Barrio Chino: barrio cercano al puerto y en donde se concentra el mayor número de clubs nocturnos y de prostíbulos de toda la ciudad.*

una pequeña maleta en la mano se dirigió a la estación de ferrocarril. Caminaba por las calles desiertas y oscuras cantando, silbando, tarareando* alegres cancioncillas.

De vez en cuando saltaba y corría. Ni siquiera el frío de la madrugada lo molestaba. Al llegar a la estación se metió en la cantina para tomar un café antes de que llegara el tren que le conduciría a una nueva vida.

Sacó un billete de segunda clase. Le parecía que aún no debía gastar el dinero alegremente, que ya llegaría su momento, que pronto sólo viajaría en primera clase.

El tren fue puntual. A las seis de la mañana entraba en la Estación de León y un poco después de las diez, dejaba a Simón en la Estación de Chamartín, en Madrid. Tomó un taxi hasta el aeropuerto de Barajas y una vez allí se dirigió al mostrador de Iberia siguiendo las instrucciones de la secretaria de Molta.

"Buenos días. Soy Simón Pérez. Creo que tengo un billete reservado".

"Efectivamente. Señor Pérez, para el puente aéreo, en primera clase. ¿Qué avión quiere coger?".

"El primero que salga".

"Entonces el de las 12 horas. Aquí tiene su

tarjeta de embarque*".

El cartón amarillo de la tarjeta de embarque era la prueba material de la nueva vida que comenzaba para Simón. Había viajado poco en avión, pero en primera clase nunca. Simón imaginaba a una azafata rubia, guapísima, sirviéndole todo el whisky que deseara. "Bueno, –pensó– será mejor que me contenga*. No quiero llegar a Barcelona borracho".

Llamó a la secretaria de Molta para anunciarle la hora de llegada a Barcelona. La secretaria le dijo que irían a buscarlo, que el chófer tenía su fotografía y que sería muy sencillo identificarlo*. "No me reconocerá nunca" –pensó Simón, acordándose de la fotografía de la máquina automática.

Mientras el avión aterrizaba en el aeropuerto de El Prat, Simón no podía contener su emoción.

Le parecía que el corazón iba a salírsele del pecho, le temblaban las manos. Antes de dirigirse a la salida fue a la barra del bar y pidió un coñac para tratar de serenarse.

Con la maleta en la mano fue hacia la salida. En ese momento se le acercó un chófer uniformado.

"¿El señor Pérez?" –preguntó con un acento

claramente francés.

"Sí, soy yo" –contestó Simón.

"Venga por aquí, por favor. Éste es el coche".

El chófer abrió a Simón la puerta de un impresionante coche negro. El más lujoso al que él había subido en su vida.

Una vez dentro del coche, Simón se dio cuenta de que los asientos de detrás, estaban separados del conductor por un grueso cristal que a Simón le pareció que estaba blindado*. El coche parecía tan seguro y tan protegido como una caja fuerte. Simón pensó que todo resultaba un poco raro, no sabía si aquello era como un sueño o como una película de aventuras.

El coche avanzaba por la autopista que conduce a la ciudad. Simón miraba por la ventanilla. Veía un paisaje conocido que recordaba de sus anteriores viajes: la desembocadura* del río Llobregat, la zona industrial de Barcelona con su característico mal olor.

***

Llegaron a la ciudad. Atravesaron la Plaza de Cataluña, el chófer bajó por *Las Ramblas*[10] y llegaron al puerto. El coche giró a la izquierda

---

10 Las Ramblas: el paseo más característico de Barcelona.

y se detuvo en la zona en que estaban anclados* los yates.

"Hemos llegado" –le dijo a Simón, al mismo tiempo que le abría la puerta.

"¿Adónde hemos llegado?"–preguntó Simón. 5

"El señor le espera en el barco. Comerán aquí. Esta tarde irá a conocer a la señora" –contestó el chófer.

"Muy bien".

Simón estaba cada vez más extrañado. Siguió 10 al chófer que se dirigía hacia un gran barco blanco. Subieron. En la cubierta* estaban unos cuantos tipos* altos, fuertes, en camiseta y mostrando sus músculos poderosos.

"Parecen guardaespaldas –se dijo Simón–. Pe- 15 ro ¿qué tendrán que guardar? Y sobre todo, ¿qué hace aquí un pobre pintor como yo? Bueno, será mejor no hacerse más preguntas y estar atento a lo que vaya ocurriendo".

El chófer abrió una puerta que daba al come- 20 dor del yate. La mesa estaba puesta para dos personas.

"Espere aquí –dijo–. Voy a avisar al señor".

Simón vió cerrarse la puerta tras él y como desaparecía el chófer, dejándole solo en aquel lu- 25 joso comedor.

Unos minutos después la puerta volvió a

abrirse y apareció un personaje de unos cincuenta años, con el pelo blanco, de aspecto agradable e impecablemente* vestido. Pantalón blanco, zapatos blancos y jersey de rayas azules y blancas. Simón se sentía ridículo con su mejor traje y su única corbata de seda.

"Bienvenido, Simón. ¿Puedo llamarle por su nombre? Soy Federico Molta y estoy encantado de conocerlo".

"Gracias. Yo también estoy encantado de estar aquí. Y desde luego que puede llamarme Simón".

"Estupendo. Nos tutearemos*. Además, creo que vamos a estar juntos una larga temporada".

"Muy bien" –dijo Simón, un poco confundido.

"Vamos a sentarnos a la mesa. Durante la comida podremos hablar tranquilamente. He dado orden de que nadie nos moleste".

"De acuerdo" –dijo Simón cada vez más extrañado. Él no tenía nada que decir y mucho menos nada que hiciera necesario el aislamiento de un barco y la soledad de un comedor para dos personas.

***

Federico empezó a hablar. Comenzó lo que Simón consideraría más tarde como un largo interrogatorio, relacionado con sus anteriores visitas a la *Ciudad Condal.*[11] Molta quería saber absolutamente todo sobre las personas a las que había retratado, cómo eran, qué clase de personas acudían a sus casas, dónde se había alojado Simón, adónde iba por las noches, etc...

Simón no lo entendía. Parecía un interrogatorio de la Policía. Aunque sin perder la sonrisa ni la compostura y en medio de una excelente comida regada con buenos vinos catalanes. Lo que más le sorprendía era el hecho de que Federico parecía saber muchas cosas sobre él. Especialmente extraño era el que supiese que además de algunos retratos, había pintado unos cuantos cuadros abstractos. Simón odiaba estos cuadros. No le gustaba recordarlos. El arte abstracto no le interesaba, si había pintado esos cuadros era por conseguir un poco más de dinero y sobre todo por no perder a algunos clientes.

Cuando Simón confirmó a Federico que efectivamente había sido él, quien había pintado unos cuantos cuadros abstractos, después de terminar los retratos, éste se sintió muy contento. Simón no lo entendía. Eran unos cuadros muy malos y se avergonzaba de haber accedido a pintarlos.

---

11 Ciudad Condal: Barcelona. La ciudad más importante del antiguo condado de Barcelona.

III
LOS CUADROS ABSTRACTOS

Simón empezó a recordar. Un amigo le había hablado de un industrial catalán que quería hacerse un retrato de gran tamaño, para ponerlo en su despacho. Simón acudió a Barcelona, hizo el retrato y el industrial quedó muy satisfecho de él. 5

El último día, cuando Simón fue al despacho del industrial para recibir su cheque, éste le hizo una extraña petición:

"Señor Pérez, estoy muy contento del retrato que me ha hecho. Puede estar seguro de que le recomendaré* a mis amistades. Pero ahora quiero pedirle un favor. Quizá le resulte un tanto extraño, pero yo estoy muy interesado en ello". 10 15

"Dígame lo que quiere y trataré de complacerlo".

"Pues verá, quisiera que me pintara un cuadro abstracto, muy grande, como uno que vi una vez en un museo. Lo pondría enfrente de mi retrato. Así, todo el mundo vería que me interesa el arte moderno. Eso da mucho prestigio hoy, en el mundo de los negocios". 20

“Pero señor Martorell, a mí no me interesa el arte abstracto. Además, en cualquier galería de arte de la ciudad puede usted encontrar todos los cuadros abstractos que quiera”.

“Pero yo quiero que me lo haga usted, que tenga su firma y que se adapte a las dimensiones de la pared de mi despacho. Por el precio no se preocupe. Le pagaré lo que me pida”.

Simón lo pensó un momento. No le costaba mucho dar cuatro brochazos* de colores en un lienzo*.

Además aquel tipo no sabía nada de arte, con cualquier cosa se conformaría. Por otra parte podría proporcionarle nuevos encargos. Decidió aceptar.

“De acuerdo. Le haré ese cuadro ¿Cuando quiere que empiece?”.

“Primero voy a explicarle lo que quiero”.

El señor Martorell tenía una idea bastante clara de lo que quería y Simón tuvo que hacer el cuadro siguiendo sus instrucciones. Quería un cuadro con mucho relieve en la calidad de la pintura y Simón tuvo que pegar trozos de arpillera* en el lienzo, también trozos de papel arrugados, para lograr volumen, pajas, incluso pelos de la barba. Más o menos lo que el tipo decía que había visto en un museo. Luego lo cubrió todo de pintura blanca y después dió unos cuantos brochazos con óleos de distintos colores. El resultado era espantoso, pero el industrial estaba encantado con el cuadro.

"Es exactamente lo que quería, Simón. Estoy muy contento. Pídame lo que quiera".

Simón volvió a Madrid con dos sustanciosos* cheques que le permitirían vivir muy a gusto durante un par de meses.

A los quince días recibió una llamada del señor Martorell diciéndole que su socio también quería un retrato y un cuadro abstracto parecido al suyo.

"Pues sí que ha tenido éxito el dichoso* cuadro –pensó Simón–. Voy a tener que cambiar de estilo".

Aceptó los encargos. Volvió a Barcelona. Pintó los dos cuadros, le pagaron bien y antes de regresar a Madrid, otro industrial le encargó su retrato. Simón se extrañó de que no quisiera también un cuadro abstracto.

Su nuevo cliente tenía un acento extraño, dijo que se llamaba Marsé y que era catalán. Ante la sorpresa de Simón, le explicó que su madre era francesa y que había vivido la mayor parte de su vida en Italia, de ahí, el marcado acento extranjero con que hablaba español.

Un día, mientras hacían una pausa en la sesión* de pintura y tomaban una copa, Marsé dijo a Simón:

"Verá Simón, quisiera pedirle un favor".

"Ya está –se dijo Simón– el cuadro abstracto".

"Pídame lo que quiera y trataré de complacerlo" –le dijo a Marsé.

"Se trata de lo siguiente. He visto los cuadros que ha pintado para Martorell y su socio y me han gustado mucho. Pensé que hacer un cuadro abstracto era muy sencillo y que no valía la pena pagar a un pintor por ello, así que yo mismo empecé a pintar un cuadro. Pero el resultado ha sido tan malo que lo he dejado. He cubierto todo lo que he hecho con pintura blanca y quisiera que usted pintase sobre ese lienzo, pues me gusta mucho el relieve que he puesto en el cuadro".

A Simón no le *hizo mucha gracia*[12] el encargo, pero el dinero de Marsé le interesaba.

"Veamos lo que ha hecho y lo que se puede hacer" –le dijo a éste último.

Marsé trajo el lienzo, tenía un aspecto rarísimo. Era muy grande, y eran tantas las telas de saco* que habían pegado en él, tantos los papeles doblados y tantas las capas* de pintura pues-

---

12 *No le hizo mucha gracia: no le gustó.*

tas encima, que el lienzo tenía un espesor diez o doce veces mayor que el habitual. Simón se quedó aterrado al verlo. No obstante, dijo:

"Tiene razón, la disposición de los distintos relieves está muy conseguida. Creo que puede quedar bien".

Después de terminar los dos cuadros, Simón volvió a Madrid. En el plazo de varios meses recibió otros dos encargos de Barcelona. Todos querían además del retrato, el cuadro abstracto como complemento. A Simón le iba tan bien, que estaba pensando en trasladar su residencia a Barcelona, donde creía tener una clientela* estable.

Pero, de pronto, los encargos cesaron; Simón había despilfarrado* el dinero ganado fácilmente y tuvo que volverse a León.

***

IV
ELSA

Y ahora este Molta le interrogaba sobre esa época que Simón creía ya olvidada. ¿Qué sentido tenía? Decidió no preocuparse. Quizá Molta además del retrato de su mujer querría también un cuadro abstracto. Simón estaba dispuesto a complacerlo.

Después del café, el puro y los correspondientes licores, Federico se levantó y dijo a Simón:

"Y ahora vámonos, quiero presentarte a mi mujer, empezarás su retrato enseguida".

Llegaron a una casa en la parte alta de la ciudad. Una de esas casas edificadas por los florecientes industriales textiles catalanes de principios de siglo, y a las que los catalanes llaman «torres». La casa tenía dos plantas, un pequeño torreón* y un jardín rodeado por una verja de hierro muy alta. El nombre de la casa era «Villa Nuria» y no se diferenciaba por fuera del resto de las casas de la zona, todas ellas pertenecientes a las clases acomodadas.

Salió a abrirles un mayordomo de uniforme.

"La señora los espera en el salón" –les dijo.

Simón siguió a Federico. La casa no tenía nada especial por fuera, pero por dentro había sido totalmente rehabilitada* y era de un lujo fascinante. Simón pensó que aquella casa olía a dinero.

Una mujer esbelta, de melena rubia, estaba de espaldas a la puerta. Miraba al jardín a través de una de las ventanas del salón.

"Elsa, ya estamos aquí. Éste es Simón, va a hacer tu retrato" –dijo Federico, presentando a Simón.

La figura se volvió y Simón quedó deslumbrado, en su vida había visto a una mujer más hermosa.

"Ah, sí, muy bien" –dijo Elsa con una voz que a Simón le pareció un poco insegura– "Estoy encantada de conocerlo".

"Por favor, señora, tutéeme, se lo ruego" –dijo Simón.

"Pues claro que os tutearéis –dijo Federico–. Quiero que seáis amigos".

"Ah, bueno, bien, como queráis" –dijo Elsa con una voz que además de insegura le pareció a Simón un poco asustada, o quizá sólo indiferente.

Simón no podía dejar de mirarla. Era una mujer deslumbrante. Mucho más joven que Federico, no podía tener más de veinticinco años o al menos no aparentaba más. Muy alta, casi tanto como el propio Simón. Los ojos muy azules, la piel pálida y suave. No iba maquillada, sólo un ligero toque rojo en los labios. Iba vestida de manera sencilla y elegante con ropas que a Simón le parecieron de excelente calidad. Una blusa de seda marrón, un pantalón amarillo y unos zapatos de tacón bajo, del mismo color que la blusa.

Simón se preguntaba cómo iba a ser él capaz de pintar a aquella mujer. Él no estaba acostumbrado a eso. Hasta ahora, solamente había retratado a maduros hombres de negocios, calvos, casi siempre gordos y a veces a sus mujeres, tan poco atractivas como ellos.

"Bueno, ya que os conocéis –dijo Federico, con aquella voz que parecía estar siempre dando órdenes– vamos a ponernos de acuerdo en los detalles. ¿Cuántas sesiones necesitarás para hacer el retrato".

Simón pensó un rato antes de contestar.

"Bastará con que pose* ocho o diez días, pero no voy a empezar enseguida. Quiero algunas fotografías suyas para hacer bocetos* por mi cuenta. También quiero verla moverse, hablar, unos cuantos días antes de que empiece a posar. Quiero observarla detenidamente antes de comenzar el cuadro".

"Me parece muy bien –dijo Federico–, quiero que sea una obra maestra. Hoy es lunes, ¿crees que para el jueves ya la habrás mirado bastante y podrás empezar a pintar?". 5

"Sí, creo que sí".

Simón observaba a Elsa. Ésta no decía nada, se había sentado en un sofá y se miraba las uñas de las manos. Hablaban de ella y no parecía importarle nada. Era como un objeto del que ellos 10 podían disponer y sobre el que podían hacer planes. Simón pensó si sería tan indiferente para todo.

"Bien, –dijo Federico con su voz de mando– como ya os conocéis y Simón estará cansado, se- 15 rá mejor que lo llevemos a su hotel. ¿Te parece bien, Simón?".

Y sin darle tiempo a contestar, continuó.

"Te llevas ahora las fotografías. Mañana vienes a la hora de comer y pasamos la tarde jun- 20 tos para que puedas observar a Elsa todo lo que quieras".

"Me parece muy bien" –dijo Simón.

"Voy a buscar las fotografías. Vuelvo enseguida". 25

"Elsa, estoy muy contento de haberte conocido, te haré un retrato maravilloso. Quiero que seamos amigos".

La muchacha clavó* su mirada azul en Simón. Lo miró tan intensamente que éste creyó que iba a decirle algo de una importancia trascen- 5 dental. Pero enseguida desvió la mirada y dijo simplemente.

"Yo también estoy contenta".

En ese momento entró Federico.

"Aquí están las fotografías. Ya he dado orden 10 al chófer para que te lleve al hotel. No te molestarás si no te acompaño, ¿verdad?".

"Claro que no, –dijo Simón–. Gracias por todo".

"Hasta mañana".

***

15 El chófer se detuvo delante del Hotel Ritz, el portero del hotel abrió la puerta del coche y saludó a Simón con una inclinación de cabeza.

Simón se dirigió a la recepción. Al decir su nombre le entregaron unas llaves y vio que un 20 botones* llevaba su maleta y le decía:

"Por aquí, señor", e indicaba el ascensor.

Tumbado en la cama. Simón reflexionaba: "¡Qué extraño es todo esto! ¡Nunca había tenido un cliente tan generoso! ¡Nada menos que el

Ritz! ¡Qué mujer! Me ha fascinado. ¿Qué querrán de mí? ¿Solamente que haga un retrato? Imposible. ¿Pero qué otra cosa? Yo no sé hacer nada más ... Elsa... ¡Qué nombre tan maravilloso! Y ella es maravillosa también. ¿Y Federico? 5
Debe de *ser un buen pájaro.*[13] Pero, qué pueden querer de mí? ... Yo sólo sé pintar..."

Simón decidió no seguir preocupándose más. Mejor que la vida monótona y aburrida de León, cualquier cosa, estaba dispuesto a aceptar todo 10
lo que la vida quisiera ofrecerle.

***

---

13 Ser un buen pájaro: ser un individuo peligroso.

V
EN EL YATE

Cuando al día siguiente, Simón llegó a «Villa Nuria», Federico salió a recibirlo diciéndole:

"Elsa me ha pedido que la disculpes. No podrá comer con nosotros. De todas formas pasa-
5 réis la tarde juntos. Después de comer, irás al yate y ella se reunirá allí contigo".

A Simón no le gustó nada la noticia de la ausencia de Elsa. No obstante, estaba contento ante la perspectiva de pasar la tarde con ella en
10 el barco, quizás solos.

Durante la comida, y de manera inexplicable para Simón, Federico llevó la conversación a los mismos temas del día anterior. Sobre todo, parecía estar interesado en los cuadros abstractos.
15 Quería saber exactamente cómo eran. Simón no podía recordarlos.

"No puedo creer que un artista no recuerde su propia obra" –insistía Federico.

"Pues créelo –contestaba Simón–. Además no
20 son exactamente mi obra. Los hice por compromiso*, de cualquier manera, pegaba telas de arpillera, papeles, a veces hasta pajas, hojas secas y cosas parecidas, lo cubría todo de pintura

blanca, daba unos cuantos brochazos con óleos de distintos colores y ya estaba”.

“Pero recordarás algo de ellos. El tamaño al menos”.

“Eso sí, –dijo Simón– eran muy grandes. Incluso había alguno enorme. Los querían para que cubrieran la pared de un despacho”.

“Y si los vieras, ¿los reconocerías?”.

“Creo que sí, aunque tampoco estoy muy seguro. Te aseguro que no me importaban mucho y no me fijé demasiado en ellos”.

“Es extraño, muy extraño” –dijo Federico.

“Lo extraño es lo mucho que te interesan a ti esos cuadros” –pensaba Simón, pero no se atrevía a decirlo.

Terminada la comida, el chófer lo condujo al barco. A Simón no le cabía el corazón en el pecho ante la idea de pasar la tarde con Elsa. “¿Me habré enamorado de ella?” –pensaba.

La mujer que lo esperaba en el barco, tenía un aspecto muy diferente de la que Simón había conocido la tarde anterior. Elsa llevaba una minifalda provocativa*, un jersey muy ceñido y sonreía de manera desafiante y provocadora*.

“¡Hola Simón! ¿Quieres una copa?”.

“Sí” –dijo Simón, extrañadísimo ante lo que

consideró un *cambio de imagen*[14] total por parte de Elsa.

La muchacha sirvió dos whiskies, encendió un cigarrillo, se sentó en el sofá, cruzó sus largas piernas y dijo:

"Simón, ven a sentarte a mi lado".

Simón obedeció.

"Salud" –dijo Elsa, chocando los vasos, acercando su cara a la de Simón y echándole el humo de su cigarrillo.

"Salud" –dijo Simón, con un *hilo de voz*[15], pues se sentía a punto de desfallecer.

"Estoy muy contenta de que estés aquí" –le dijo Elsa, poniendo su mano sobre la pierna de Simón.

"Pero, ¿qué pasa" –pensó Simón–. "Me estará seduciendo. ¿Nos habrá dejado solos el marido para esto? Por mí, encantado".

"Yo también estoy contento" –dijo Simón, pues no se le ocurrió otra cosa mejor que decir, aunque era consciente de la poca originalidad de la frase.

"Me han dicho que pintas unos cuadros abstractos estupendos" –dijo Elsa.

"Ah, vaya, –pensó Simón– con que era esto". Y de repente sus entusiasmos se enfriaron.

---

14 Cambio de imagen: cambio del aspecto externo de una persona.
15 Hilo de voz: voz muy baja.

"La verdad es que no creo que fueran estupendos –contestó–. Hace más de dos años que no pinto ninguno y ni siquiera me acuerdo de cómo eran".

"Pues a mí me gustaría mucho que lo recordaras" –dijo Elsa con una voz mimosa* y acariciadora, pero que a Simón le pareció falsa.

"¿Por qué no tratas de recordarlos y me los dibujas aquí?" –dijo acercándole un bloc de dibujo y una caja de lápices.

"Me gustaría complacerte, pero es imposible. Ya le he dicho a tu marido y ahora te lo digo a ti, que no sé cómo eran aquellos malditos cuadros, ni me importa tampoco. No sé que interés tenéis Federico y tú" –dijo Simón, empezando a alzar la voz.

"Calla Simón, por favor" –dijo Elsa tapándole la boca. A continuación se levantó y puso la radio a todo volumen.

"Es muy importante que los recuerdes" –dijo muy seria y con una voz, que por primera vez a Simón le pareció auténtica.

"Pero, ¿por qué?, ¿por qué?".

"Calla, aquí no podemos hablar" –dijo Elsa en voz muy baja.

"Pero, ¿dónde, entonces?".

"Ya te lo diré. Aquí, no. Vamos a bailar. Para eso he puesto música" –dijo Elsa.

Empezaron a bailar. A Simón le parecía un sueño tener entre sus brazos a Elsa. "Con tal de que este sueño no se convirtiera en pesadilla" –pensaba.

A última hora de la tarde se presentó el chófer.

"El señor me ha pedido que la lleve a cenar a casa, señora" –dijo.

"Enseguida *estoy lista*[16], Luis" –dijo Elsa al chófer– "¿Quieres que te dejemos en algún sitio, Simón?".

"No gracias. Prefiero caminar. ¿Cuándo nos volvemos a ver?".

"No te muevas del hotel. Ya te llamaremos mañana".

Simón se alejó del puerto y se dirigió al hotel, caminando por las estrechas calles del *Barrio Gótico*[17] barcelonés. Era una noche muy fría y no se veía a nadie por las calles. De pronto, a Simón le pareció oír unos pasos detrás de él. Se volvió, pero no vió a nadie. Los pasos dejaron de oírse. Volvió a caminar y de nuevo oyó pasos. Simón, asustado, echó a correr, llegó a una calle ancha e iluminada, hizo señas a un taxi y se fue al hotel.

---

16 Estar lista: estar preparada.

17 Barrio Gótico: el barrio antiguo de Barcelona, situado en los alrededores de la Catedral.

Su habitación le pareció un refugio seguro. Tendido encima de la cama, Simón pensaba: "Creo que me *estoy metiendo en un lío.*[18] Sería más prudente largarme* a León y abandonar a toda esta gente. ¿Pero qué me espera a mí en León?. El aburrimiento. Me quedaré, no creo que sea tan peligroso y puede ser una experiencia excitante".

***

---

18 Meterse en un lío: crearse problemas.

VI
PERSECUCIÓN EN EL BARRIO CHINO

El día siguiente amaneció radiante*. Federico llamó a Simón y le dijo que pasarían un par de días en el mar. Simón se entusiasmó. Amaba el mar y le gustaba navegar pero no tenía muchas 5 oportunidades de hacerlo.

Ya, en el yate, pasaron la mañana en cubierta tomando el sol, charlando, bebiendo. A Simón le extrañaba que no se hablase de los dichosos cuadros.

10 Después de comer, Federico anunció:

"Vamos a la sala de proyección. Tengo una sorpresa para ti".

Uno de los camarotes del yate, había sido transformado en sala de proyecciones. Federico 15 apagó la luz y empezó a proyectar diapositivas. Una serie de cuadros abstractos, de dudoso gusto, empezaron a pasar por la pantalla. Uno de ellos le pareció a Simón que podía ser suyo. Iba a decirlo cuando pensó que sería más prudente 20 callarse.

Al acabar la proyección, Federico preguntó: "¿No has reconocido ninguno?".

"Creo que no. Hay dos o tres que podrían serlo, pero no estoy muy seguro. ¿Te importa volver a pasar las diapositivas?".

Federico lo hizo así. Cuando por segunda vez Simón tuvo el cuadro delante de los ojos, lo reconoció, *sin ningún género de dudas.*[19] 5

Incluso había otro, que debía ser suyo también. No obstante dijo: "Ahora estoy seguro. Algunos se parecen a los míos, pero no los he pintado yo. Además, ninguno tiene mi firma".

"De eso no te fíes mucho" –dijo Federico– 10
"No importa, éstos son solamente unos pocos, mañana veremos muchos más".

Efectivamente, al día siguiente comenzaron la sesión desde por la mañana. Simón se dio cuenta de que otros tres cuadros suyos estaban allí. 15
Anotó en la memoria el número de orden de la diapositiva. Al terminar dijo:

"Nada, mis cuadros no están ahí. Estos son muy malos. Estoy seguro de que los míos eran mejores". 20

"Es extraño, muy extraño. No obstante la semana que viene tendré nuevas diapositivas. Espero que ahí sí estén los tuyos".

Simón quería hablar con Elsa a solas pero era imposible. Federico no los dejaba solos ni un mo- 25
mento. Antes de despedirse se le ocurrió decir:

---

19 Sin ningún género de dudas: con total seguridad.

"Creo que mañana, Elsa puede empezar a posar. Ya tengo los bocetos hechos".

"Muy bien. Pues empieza mañana. Yo no estaré en Barcelona. He de ir a Madrid, volveré por la noche, así que te confío a Elsa"

***

Esa noche, al abandonar el barco, Simón se dirigió al Barrio Chino. Quería tomar una copa en los bares que conocía de años anteriores. El ambiente duro y un poco al margen de la ley del Barrio Chino, le agradaba. Quería volver a ver a alguna de las chicas que conocía de antes.

Al caminar por las calles oscuras y estrechas del barrio, volvió a oír pasos tras él. Esta vez estaba seguro. Y había otros pasos más lejanos que seguían a los primeros. Simón caminó despacio, con precaución. De pronto, una mujer parada en el quicio* de una puerta, le agarró de un brazo.

"Ven guapo" –le dijo.

Simón le tapó la boca. "Calla" –le dijo. Y poniéndole unos billetes en la mano le preguntó:

"Me están siguiendo. ¿Qué puedo hacer?".

"Ven conmigo" –le dijo la mujer metiéndolo

en el portal.

Subieron unas escaleras a oscuras. Olía mal, a humedad, a orines* de gato, a pobreza. En el primer descansillo la mujer abrió una puerta.

"Entra" –dijo. 5

Cerró la puerta y llevó a Simón a un balcón.

"Desde aquí puedes ver la calle" –volvió a decirle.

Simón vió a un hombre de elevada estatura con un abrigo de color oscuro, que caminaba si- 10 gilosamente*. De pronto, apareció otro tipo por el final de la calle. Éste último llevaba una gabardina* de color claro. Caminaba por la acera opuesta a la casa en donde estaba Simón. Al tipo del abrigo oscuro ya no se le veía, Simón pen- 15 só que se había escondido en algún portal. Cuando el hombre de la gabardina llegó frente al balcón en donde estaba Simón, el del abrigo oscuro se abalanzó* sobre él y tras un breve forcejeo, el de la gabardina cayó al suelo. El otro 20 desapareció velozmente.

"¿Qué ha pasado?" –preguntó Simón a la mujer.

"Muy sencillo, *se lo han cargado*[20]" –contestó ésta. 25

"Pero, ¿por qué?" –preguntó de nuevo Simón.

---

20 Cargarse a alguien: matarlo.

"Eso no es asunto nuestro. No te muevas de aquí, voy a avisar antes de que pase por aquí la policía haciendo alguna de sus rondas".

Simón estaba muy asustado, pero decidió 5 obedecer a la mujer. Ésta desapareció y después de unos minutos, Simón vio a unos cuantos tipos que cogían al hombre tendido en el suelo y se lo llevaban. Al rato volvió la mujer.

"Ya está" –dijo.

10 "¿Qué habéis hecho?" –preguntó Simón.

"Quitar esa basura* de en medio. Lo hemos tirado a un solar* que hay cerca. La policía no lo encontrará hasta mañana".

"¿Cómo lo han matado?"

15 "Lo han estrangulado*. Con un hilo de nylon. Es un método seguro, pero difícil, hay que tener mucha fuerza y mucha habilidad" –dijo la mujer.

"¿Cómo puedo salir de aquí?" –le preguntó Simón.

20 "Voy a llamar un taxi. Espera un momento" –contestó ella.

La mujer salió y volvió a entrar enseguida.

"Vamos baja, el taxi ya viene. ¡Qué pálido estás! Pero si no ha pasado nada".

25 "No sé cómo agradecerte..." –dijo Simón, y le colocó un par de billetes en la mano.

"Hoy por ti, mañana por mí" –dijo la mujer, y

continuó:

"A propósito, me llamo Lola. Puedes encontrarme en el bar "Jamaica", siempre que quieras. A cualquier hora. Vuelve algún día".

"Lo haré. Te lo prometo" –contestó Simón.

Cuando el taxi lo dejó en el hotel, el corazón de Simón seguía latiendo tan fuertemente que le parecía que le iba a estallar.

"¿Por qué habré salido yo de León?" –se decía– "Esto es demasiado. ¡Un muerto! Creo que prefiero la calma y el aburrimiento de mi ciudad. Además, ¡ese muerto podría ser yo! Pero, ¿y si me voy, qué será de Elsa? No puedo dejarla así. Quizá esté en peligro. Creo que me he enamorado de ella. Si quisiera venirse a León conmigo..."

***

VII
LA ESCAPADA

Al día siguiente, a primera hora de la mañana, Simón llegó a «Villa Nuria». Preparó el lienzo, el caballete*, sacó los óleos y empezó a trabajar.

Cuando llevaba una hora posando, Elsa se levantó.

"Vuelvo enseguida" –dijo.

Al volver llevaba puesto un chándal y unas zapatillas de deportes. Traía otras en la mano.

"Ponte esto –le dijo a Simón– Vamos a correr un rato. No aguanto más la inmovilidad".

"Pero..." –dijo Simón.

"Vamos" –ordenó Elsa.

El mayordomo al verlos salir, puso cara de asombro.

"¿Adónde van? ¿Lo sabe el señor?" –preguntó.

"Vamos a correr un rato. Volveremos enseguida" –contestó Elsa.

Ya en la calle, Elsa empezó a correr, Simón la seguía como podía. Pasaron por delante de un autobús que tenía las puertas abiertas.

"Sube" –dijo Elsa, mientras ella hacía lo mismo.

Simón subió.

"A ver, explícame –le dijo una vez sentados en el autobús– ¿Por qué estas carreras?".

"Es más difícil seguir a alguien corriendo que andando –dijo Elsa– Se nota mucho más. Llama más la atención". 5

"Parece que tienes experiencia" –dijo Simón con un tono irónico.

"Sí, a veces me escapo. Pero siempre vuelvo. Bajemos" –dijo al llegar a una parada. 10

Subieron a otro autobús que estaba a punto de salir.

"Esta vez nos bajaremos al final. Conozco un sitio tranquilo y podremos hablar" –explicó Elsa.

"Lo tienes todo muy pensado" –dijo Simón. 15

"Sí, todo" –contestó Elsa.

Al bajar del autobús, Elsa con paso rápido se dirigió a una cafetería muy grande en donde apenas había gente.

"Aquí es. –dijo–. Reconociste los cuadros, 20 ¿verdad?".

"Es posible –dijo Simón–. Pero no diré nada más hasta que contestes a todas mis preguntas. ¿Por qué os interesan esos cuadros? Y sobre todo, ¿qué haces tú con un tipo como Federico? 25 Está claro que no lo quieres. ¿Por qué no lo dejas y te vienes conmigo?".

"*Pongamos las cartas boca arriba*[21], Simón. Yo no quiero a Federico. Lo odio. Pero me gusta su dinero. Hasta los dieciocho años supe lo que era la pobreza y no quiero volver a saberlo. Tú me gustas, pero eso no significa nada. Nada, a menos que tengas dinero. Y no lo tienes. Pero podemos tenerlo gracias a esos cuadros. Si los conseguimos me iré contigo. Si no, volveré con Federico".

"Bueno, –dijo Simón– al menos eres sincera. Bien, ¿qué pasa con los cuadros?".

"¿Recuerdas un importante robo de diamantes que hubo en Amsterdam hace algunos años?".

"No, nunca he estado en el comercio de piedras preciosas" –dijo Simón con ironía.

"Pues bien fueron Federico y su gente. Los trajeron a Barcelona. Un tipo de Nueva York, del Bronx los iba a montar* y así podrían volver a ponerse de nuevo en el mercado".

"¿Y bien?" –preguntó Simón–. ¿Qué tiene eso que ver con mis cuadros?".

"Espera un poco. Los diamantistas holandeses cobraron los seguros. Más tarde, se enteraron de quien los había robado. Decidieron recuperarlos y lo hicieron. Se los robaron a Federico.

---

21 *Poner las cartas boca arriba: hablar claramente.*

Éste pensó que el tipo del Bronx había dado el soplo* y los suyos se cargaron a su hijo como venganza. De esta manera, Federico tiene en el tipo del Bronx un enemigo feroz. Los holandeses, aunque habían recuperado los diamantes, no querían devolver el importe de los seguros, así que tenían que esconder los diamantes de tal manera que no los descubriesen ni la policía, ni las compañías de seguros, ni la gente de Federico. Se les ocurrió lo del cuadro. Buscaron a un infeliz como tú, que no se enterase de nada y tan tranquilos colgaron el cuadro en una pared con los diamantes dentro".

"Gracias por lo de infeliz. ¿Y Federico, cómo supo lo del cuadro?".

"Un soplo. Pero no sabía quien lo había pintado ni tampoco cómo era el cuadro. De ahí el anuncio en el periódico. En el "curriculum" dabas toda clase de explicaciones, pensó que el pintor debías ser tú. Te hizo venir y ahora trata de descubrir cuál es el cuadro en el que están los diamantes".

"¿Y cuándo lo sepa *se deshará de mí*?[22]" –preguntó Simón.

"No lo creo. Le parecerá que no vale la pena. Y además, un muerto siempre es una complicación".

---

22 *Deshacerse de alguien: asesinar.*

"Menos mal –dijo Simón–. Y ahora dime, ¿cuál es tu plan?".

"¿En qué cuadro están los diamantes? Estoy segura de que ya lo sabes. Eres mucho menos tonto de lo que pareces".

"Tú también eres menos tonta de lo que me pareciste el primer día" –dijo Simón.

"Yo callo, observo y lo anoto todo en mi memoria. Y ahora responde, ¿Cuál es el cuadro?".

"Solamente puede ser el que ya me dieron preparado, el tercero de los que pinté. Era la diapositiva número cuarenta de las que vimos ayer".

"Estupendo –dijo Elsa– Vámonos. Volvamos en taxi para que la escapada sea más corta".

"¿Y qué vamos a hacer ahora?" –preguntó Simón.

"Te lo diré en su momento".

Cuando llegaron a la casa, Elsa dijo que iba a tomar un baño y que luego descansaría hasta la hora de comer. Simón se quedó solo en el salón hojeando revistas.

Después de comer, Elsa siguió posando y Simón pintando. Apenas hablaban. Únicamente de cosas que podían ser oídas por cualquiera de los muchos sirvientes de la casa. Simón se preguntaba cómo era posible vivir siempre así, sabiendo que siempre hay alguien que vigila. Él no lo querría ni por todo el oro del mundo. Claro que quizá por Elsa, sí.

A media tarde, Elsa dijo que estaba cansada y lo dejaron. La muchacha se acercó al carro de las bebidas y preparó unas copas. Al llevar la suya a Simón le dijo en voz muy baja:

"Tu cuadro está en un almacén del puerto de Marsella, lo van a enviar pronto a Amsterdam".

"¿Cómo lo has sabido?"– preguntó Simón.

"Revolviendo entre los papeles de Federico. Hablemos de otra cosa".

Cuando llegó Federico, los encontró sentados en el sofá, charlando, con una copa en la mano. Contempló lo que Simón había pintado.

"Está muy bien. Me gusta. ¿Seguirás mañana?" –preguntó a Simón.

"Naturalmente" –contestó éste.

Simón se despidió. Era la hora de cenar y pensó que era más adecuado marcharse sin esperar a que lo invitasen. Pero esta vez no quiso problemas. Antes de salir llamó a un taxi y no se bajó de él hasta que llegó a la puerta del hotel.

***

VIII
EN MARSELLA

A la mañana siguiente, Simón volvió a «Villa Nuria». Elsa posó durante una hora y luego dijo:

"Me he cansado de posar. Me voy de compras".

"Te acompaño" –dijo Simón.

"No, prefiero ir sola. No tardaré mucho. Tú te quedas aquí" –y en voz más baja añadió: "Procura estar antes de las cinco en el aeropuerto. En el mostrador de *Air France*[23], habrá un billete a tu nombre para Marsella".

"Pero ..." –dijo Simón.

"Adiós" –dijo ella.

Simón volvió a hojear las revistas que ya había visto el día anterior. Mientras lo hacía, trataba de ordenar sus pensamientos. Poco a poco vio claro lo que tenía que hacer y trazó* un plan.

Una hora después de haberse marchado Elsa, Simón llamó al mayordomo.

"Me he cansado de esperar –le dijo–. Dígale a la señora que no me espere a comer. Volveré a media

---

23 Air France: compañía aérea francesa.

tarde, entonces seguiremos trabajando".

Salió a la calle y caminó hacia la parada de taxis más cercana. Quería saber si le seguían. Le pareció que no. Tomó el primero de una larga fila de taxis.

"Al Barrio Chino, por favor" –dijo al taxista.

A través del espejo retrovisor*, Simón vio como el tercero de la fila de taxis también se ponía en movimiento.

Llegó al bar «Jamaica», preguntó por Lola, ésta apareció enseguida.

"¡Hola! Bienvenido. ¿Qué quieres tomar?" –le dijo a Simón.

"Quiero que me ayudes. Necesito llegar hasta el aeropuerto, pero me han seguido hasta aquí y no quiero que lo hagan hasta allí".

"*Eso está hecho*[24] –dijo la mujer– Te ayudaré pero algún día tendrás que contarme tu vida".

"Lo haré –dijo Simón–. Es toda una novela".

"Tomemos una copa, luego me sigues al piso de arriba" –dijo Lola.

"Muy bien" –dijo Simón.

Subieron al piso de arriba. Lola le dijo a Simón que se quitase su traje y lo cambiase por una chaqueta y unos pantalones bastantes raídos* que había en un armario. Mientras Simón

---

24 Eso está hecho: algo muy fácil de realizar.

se cambiaba, la mujer salió de la habitación. Volvió a entrar a los pocos minutos con un tipo moreno, como Simón y más o menos de su estatura. Éste se puso la ropa que Simón se acababa de quitar.

"Ahora –dijo Lola– te sacaré a la calle y luego Pepe y yo seguiremos en la barra del bar hasta que tú llegues al aeropuerto. El que te sigue, no se dará cuenta del cambio".

"Gracias –dijo Simón– Espero que algún día podré pagarte lo que estás haciendo por mí".

"Espero que lo hagas –dijo Lola– Ahora vámonos".

Antes de salir, Simón dejó unos cuantos billetes encima de la mesilla de noche.

La mujer condujo a Simón a través de un laberinto* de pasillos. Bajaron unas escaleras y Simón se encontró en el mismo portal en que se habían conocido.

"Ahora vendrá un taxi –dijo Lola– Traerá una puerta abierta, al pasar por delante del portal disminuirá la velocidad. Te subes y te sientas en el suelo. No te levantes hasta que no hayas salido del barrio".

"Eres maravillosa" –dijo Simón y la besó en la mejilla.

Apareció el taxi.

"Suerte" –dijo la mujer.

"Adiós" –dijo Simón.

Simón llegó al aeropuerto, recogió su billete y esperó. Faltaban dos horas para la salida del avión. A Elsa no se la veía por ninguna parte. Simón estaba muy nervioso, apenas le quedaba dinero y había dejado todo su equipaje en el hotel. Confiaba en que Elsa no le *haría una mala pasada*[25].

Cuando faltaba solamente media hora para la salida del avión, Elsa seguía sin aparecer. Un grupo de jóvenes, vestidos deportivamente y con mochilas* a la espalda, entró en el vestíbulo del aeropuerto. Entonces Simón la vio, estaba entre esos jóvenes. Llevaba el pelo recogido en una cola de caballo, pantalones vaqueros, un grueso anorak de colores y una mochila en la espalda. No parecía tener más de dieciocho años.

Simón se le acercó.

"¿Me das fuego?" –le dijo.

"Nos veremos en el avión" –dijo ella casi en un susurro.

Cuando Simón se vio sentado en el avión al lado de Elsa, le pareció que no podía soportar tanta felicidad. Le cogió una mano e intentó besarla.

---

25 *Hacer una mala pasada: causar daño y mal a una persona.*

"Te quiero" –le dijo.
"Despacio, Simón –dijo ella–. Aún no tenemos los diamantes".
"¿Pero tú me quieres?".
5 "Con los diamantes sí, sin ellos no me interesas nada" –contestó fríamente Elsa.
"De acuerdo –dijo Simón– ahora explícame el plan. Yo hago lo que tú me dices, pero *voy completamente a ciegas*[26]. Por cierto, apenas me
10 queda dinero".
"No te preocupes por eso. Yo tengo. Dinero, joyas y tarjetas de crédito. Aunque éstas será mejor no usarlas. Sabrían donde estamos".
"¿Qué te propones hacer?"–preguntó Simón.
15 "Al llegar a Marsella iremos a un hotel. Diremos que somos matrimonio ¿Hablas inglés?".
"Sí".
"Pues entonces seremos ingleses. Mr y Mrs. Brown".
20 "¡Qué fácil lo ves todo! –dijo Simón–. ¿Crees que no nos van a pedir el pasaporte?".
"En los hoteles de los puertos piden pocos papeles –contestó Elsa–. Basta que pagues por adelantado y que pagues bien".
25 "Muy bien. Ya estamos en el hotel. ¿Qué hacemos luego?" –preguntó Simón.

---

26 Ir a ciegas: sin saber nada.

"Esperamos hasta la una de la mañana. Luego vamos al puerto, buscamos el almacén donde está el cuadro. Lo abrimos, buscamos el cuadro, raspamos* la pintura, cogemos los diamantes y nos vamos". 5

"¡Sencillísimo! ¿Cómo puedes creer que será tan fácil? ¿Y cómo vamos a hacer todo eso? ¿Con nuestras manitas?" –seguía preguntando Simón.

"No, Mira" –dijo Elsa, al mismo tiempo que 10 abría un bolso pequeño que llevaba en la mano.

"¡Dios mío! –dijo Simón– Es un arsenal*. Hay de todo. ¿Cómo has podido pasarlo a través del detector* de metales del aeropuerto?".

"Le dije a uno de los chicos de ese grupo con 15 los que estaba y que ya había pasado por el detector que me lo sujetase mientras yo me desprendía de la mochila".

"¿Y el policía no se dio cuenta de nada?" –preguntó Simón.

"De nada" –contestó Elsa.

"Eres increíble. Lo planeas todo tan minuciosamente* que empiezo a pensar que todo va a salir bien".

"Claro que saldrá. Ya lo verás" –dijo Elsa. 25

"Bien –dijo Simón– Vamos a suponer que ya tenemos los diamantes. ¿Qué hacemos? ¿Volvemos al hotel a esperar a que Federico nos encuentre?".

"No –contestó Elsa– Nos vamos a la estación. A las seis de la mañana sale un tren hacia París. Lo cogemos y desde París en el Concorde, en menos de cuatro horas estamos en Nueva York".

"¡Dios mío! ¡Yo en el Concorde! Creo que me voy a desmayar. ¡Si supieran en León que me dedico a robar diamantes!".

"Deja de decir tonterías –dijo Elsa– Ya me he puesto en contacto con el tipo del Bronx. Nos comprará los diamantes. Está encantado de hacerle una mala pasada a Federico. Quiere vengarse".

"¡Qué organización! –dijo Simón– ¿dónde has aprendido?".

"Observando a Federico y a su gente" –contestó Elsa.

"¿Y después del Bronx?" –volvió a preguntar Simón.

"Después ... Lo que tú quieras" –contestó Elsa.

Se instalaron en un hotel de ínfima* categoría. Se cambiaron de ropa. Elsa llevaba pantalones, camisas y chaquetas de cuero, todo en negro, para los dos, además de zapatillas de deportes negras también. Completaba el atuendo un pasamontañas* de lana negro y guantes del mismo color. Salieron del hotel y se dirigieron a los almacenes del puerto. Elsa parecía saber muy bien dónde iban. Simón estaba aterrorizado. 5

"Estará muy vigilado –decía– No lo conseguiremos".

"No lo estará –contestaba Elsa– Los diamantes llevan casi dos años en el mismo sitio. ¿Cómo van a sospechar que alguien los ha descubierto cuando están a punto de llevárselos a Amsterdam?". 10

"Más vale así" –contestaba Simón.

Siguieron andando. Elsa tenía razón, apenas había vigilantes. Caminaban sin hacer ruido y nadie parecía notar su presencia. Hacía mucho frío, los vigilantes debían de estar refugiados en sus casetas. 15

"Aquí es" –dijo Elsa. 20

El almacén era un edificio de una sola planta, cerrado por dos grandes puertas metálicas. Una gruesa cadena las unía y la cadena estaba a su vez cerrada con un candado.

"Salta el candado*" –dijo Elsa. 25

Simón se dispuso a hacerlo. Era fácil teniendo la herramienta* apropiada y Elsa no se había olvidado de nada.

"¡Eh! ¡Oigan! ¿Qué están haciendo?" –dijo una voz.

"Sigue, Simón" –ordenó Elsa.

Simón continuó y abrió el candado. En ese instante oyó dos golpes secos, como dos cuerpos que hubieran caído al suelo. Se volvió.

A su lado estaba Elsa tendida en el suelo. Tenía un cuchillo clavado en el cuello. A poca distancia estaba un tipo fornido*, también en el suelo. Simón lo iluminó con la linterna. Una mancha de sangre encima de su pecho, empezaba a extenderse por la tela azul de su mono* de trabajo. Iluminó a Elsa, en su mano tenía la pequeña pistola que Simón había visto en su bolso. La había disparado antes de que el cuchillo la alcanzase.

Simón se sintió vacío. Entró en el almacén. Una serie de cuadros envueltos en papel marrón, estaban apilados* contra una pared. Se dirigió al más grande. Rasgó* el papel que lo envolvía. Era el suyo. Raspó la pintura. Empezaron a *caer* diamantes *en cascada*[27]. Los recogió con cuidado y se los metió en el bolsillo. Dejó abandonado el bolso de las herramientas

---

27 *Caer en cascada: expresa el modo de caer algo; se refiere a como cae el agua en una cascada: rápidamente, con fuerza, etc...*

y salió del almacén. Siguió andando tranquilamente, esperaba que alguien lo detuviera, que una voz lo llamara.

"¿Y ahora?" –pensaba.

Nadie lo detuvo, nadie lo llamó. Salió del puerto. Encontró un taxi libre. 5

"A la estación –dijo–. Quiero coger el tren de las seis. El que va a París".

***

Ejercicios

A) DE COMPRENSIÓN.

Conteste a las siguientes preguntas:

1. ¿Qué ciudades son las mencionadas en el relato?
2. ¿Para qué va Simón a la Ciudad Condal?
3. ¿Qué ocurre en el Barrio Chino?
4. ¿Por qué van Simón y Elsa a Marsella?

Complete el siguiente diálogo:

5. Lola: Ya está.
   Simón:
   Lola: Quitar esa basura de en medio. Lo hemos tirado a un solar que hay cerca. La policía no lo descubrirá hasta mañana.
   Simón:
   Lola: Lo han estrangulado. Con un hilo de nylón. Es un método seguro, pero difícil. Hay que tener mucha fuerza y mucha habilidad.
   Simón:
   Lola: Llamo a un taxi. No te muevas de aquí.

Complete las frases siguientes:

6. El reloj de la Catedral acaba de dar sus .... y .... campanadas.
7. Quería que sus .... colgasen en los mejores .... del mundo.
8. Sus padres habían .... hacía muchos.. ...... y como única .... le habían dejado una .... en ....
9. Ni siquiera el frío de la .... le molestaba. Al llegar a la .... se metió en la .... para .... un café.
10. Reproduzca las frases con las que Simón y Federico se saludan al conocerse.

B) DE GRAMÁTICA

Elija la forma adecuada para completar las frases siguientes:

1. La semana .... velozmente.
   pasó / ha pasado
2. Los primeros días, Simón .... impaciente.
   esperaba / ha esperado
3. Después se .... de ello.
   olvidaba / olvidó

4. Le parecía que alguien .... gastarle una broma.
quiso / había querido

5. Mientras el avión .... Simón no podía contener su emoción.
aterrizaba / ha aterrizado

6. Fue a la barra del bar y .... un coñac.
pidió / ha pedido

7. Marsé trajo el lienzo. Éste .... un aspecto rarísimo.
había tenido / tenía

8. Simón .... a Elsa. Ésta no decía nada.
ha observado / observaba

9. El chófer se detuvo delante del hotel y el portero .... la puerta del coche.
había abierto / abrió

10. Federico .... a Simón y le dijo que pasarían un par de días en el mar.
llamaba / llamó

C) DE LÉXICO

1. Resuelva el siguiente crucigrama

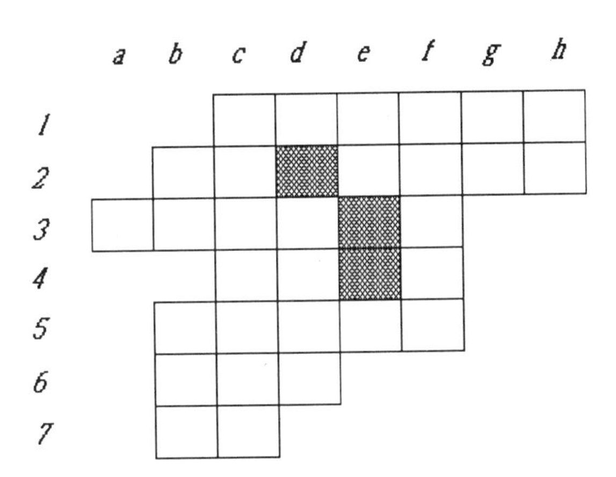

Horizontales:

1 Lugar donde están los barcos.

2 Negación. Barco de lujo.

3 Traje de trabajo.

4 Consonantes.

5 Las chaquetas de Elsa y de Simón son de ....

6 Metal precioso.

7 Forma vulgar de decir: nada.

Verticales

a Consonante.
b Negación. Preposición.
c Simón se dedica a la ....
d Vocal. Clase de pintura.
e Letras.
f Simón .... el papel que envolvía el cuadro.
g Consonante repetida.
h Vocales.

2. Diga tres fórmulas de despedida.

3. Forme parejas de sinónimos.
   Ejemplo: ilusiones / sueños.

aburrido	prensa
gritar	monótono
arpillera	chillar
periódicos	salario
sueldo	saco

4. ¿Puede explicar el significado de las siguientes palabras?
   arsenal
   boceto
   cordillera

Claves de los Ejercicios

A) DE COMPRENSIÓN

1. *León, Madrid, Barcelona, Marsella.*
2. *Para hacerle un retrato a Elsa.*
3. *Hay un asesinato por estrangulamiento*
4. *Porque allí, en un almacén del puerto, están los diamantes.*
5. *Simón. ¿Qué habéis hecho?.– Simón: ¿Cómo lo han matado?.– Simón: ¿Cómo puedo salir de aquí?.*
6. *lentas, monótonas.*
7. *cuadros, museos.*
8. *muerto, años, herencia, casa, León.*
9. *madrugada, estación, cantina, tomar.*
10. *Federico: Bienvenido Simón. Soy Federico Molta y estoy encantado de conocerte.*
 Simón: Gracias. Yo también estoy encantado de estar aquí.

B) DE GRAMÁTICA.

1. *pasó* 2. *esperaba* 3. *olvidó* 4. *había querido* 5. *aterrizaba* 6. *pidió* 7. *tenía* 8. *observaba* 9. *abrió* 10. *llamó.*

C) DE LÉXICO

1. *Crucigrama*
Horizontales:
1.– *puerto.* 2.– *ni, yate.* 3.– *mono, S.* 4.– *T, L, G.* 5.– cuero. 6.– *oro.* 7.– *na.*
Verticales:
a) M.– b) no, con.– c) pintura.– d) U, óleo.– e) E, Y, R f) rasgó.– g) T.– h) O, E.

2. *Adiós.– Hasta mañana.– Hasta luego.*

3. *aburrido / monótono*
gritar / chillar
arpillera / saco
periódicos / prensa
sueldo / salario

4. *arsenal: depósito de armas*
boceto: proyecto que se hace con los rasgos generales de una obra, especialmente si se trata de un cuadro o de una escultura.
cordillera: cadena de montañas.

VOCABULARIO MULTILINGÜE

EL RETRATO DE ELSA

	ESPAÑOL	INGLÉS
	abalanzarse	to rush
	anclado/a	anchored
	apilado/a	piled up
	arpillera, la	sack-cloth
5	arriesgarse	to take the risk
	arsenal, el	arsenal
	basura, la	rubbish, dirt
	blindado/a	armorplated
	boceto, el	sketch, draft
10	botones, el (sing.)	bellboy
	brochazo, el	brushstroke
	caballete, el	easel
	candado, el	lock
	candelabro, el	candlestick
15	capa, la	coat of painting
	clavar	to stare at
	clientela, la	the customers
	compostura, la	to be circunspected
	compromiso, el	comitment
20	contener(se)	had better stop (drinking)
	cordillera, la	mountain range
	cubierta, la	deck
	desembocadura, la	the mouth of the river
	despilfarrar	to squander

FRANCÉS	ALEMÁN	
se jeter sur	sich stürzen auf	
ancré	vor Anker liegen	
entassé	gestapelt	
serpillière	s Sackleinen	
risquer de	riskieren	5
arsenal	s Arsenal, Lager	
ordure	Müll/ hier: Dreckskerl	
blindé	gepanzert	
ébauche	e Skizze, r Entwurf	
chasseur	r Laufjunge	10
coup de pinceau	r Pinselstrich	
chevalet	e Staffelei	
cadenas	s Schloß	
candélabre	r Kerzenhalter, Kandelaber	
couche	e Schicht	15
fixer	nageln	
clientèle	e Kundschaft	
manières	e Haltung	
compromis	e Verpflichtung, r Zwang	
se contenir	sich zurückhalten	20
chaîne	e Bergkette, Kordillere	
pont	s Deck (Schiff)	
embouchure	e Mündung	
gaspiller	verplempern	

	ESPAÑOL	INGLÉS
25	desplazar(se)	to travel to, to go
	detector, el	detector
	dichoso/a(fig.cuadro)	celebrated
	esparcido/a	scattered
	estrangular	to strangle
30	febrilmente	feverishly
	floreciente	thiriving, prosperous
	fogonazo, el	light of the flash
	fornido/a	strongly-built
	gabardina, la	mackintosh, raincoat
35	herramienta, la	tool
	identificar	identify
	impecablemente	smartly
	ínfimo/a	third-rate hotel
	infundir	to stamp; or to project upon them
40	laberinto, el	labyrinth
	largar(se)	to move off
	lienzo, el	canvas
	mimoso/a	soft, caressing
	minuciosamente	carefully
45	mochila, la	knapsack
	mono, el	overalls

FRANCÉS	ALEMÁN	
déplacer(se)	sich begeben, reisen	25
détecteur	r Detektor/ hier: Gepäckkontrolle	
sacré	hier: das verflixte Bild	
éparpillé	verstreut	
étrangler	erwürgen	
fiévreusement	hastig	30
florissant	blühend	
éclair	s Aufblitzen	
costaud	stark, stämmig	
gabardine	r Regenmantel	
outil	s Werkzeug	35
idéntifier	identifizieren	
impeccablement	untadelig	
infime	unterst	
communiquer	einflößen/ hier: Stempel aufdrücken	
labyrinthe	s Labyrinth	40
filer	abhauen	
toile	e Leinwand	
câlin	hier: zart	
minutieusement	ganz genau	
sac à dos	r Rucksack	45
salopette	r Arbeitsanzug/ Overall	

	ESPAÑOL	INGLÉS
	montar	to mount, to set,
	mostrador, el	desk
	orín, el	piss
50	pasamontañas, el (sing.)	woollen cap
	posar (para un cuadro)	to sit
	presidiario	prisoner
	provocador/a	provokingly
	provocativo/a	provocative, exciting
55	quicio, el	threshold
	radiante	splendid
	raído/a	threadbare
	ranura, la	slot
	rasgar	to tear
60	raspar	to scratch off
	recomendar	to recommend
	rehabilitado/a	restored
	retrovisor, el (espejo)	back mirror
	saco, el	sack
65	saltar (hacer)	to break open
	sesión, la	session, sitting
	sigilosamente	stealthily
	sobresaltado/a	startled
	solar, el	lot
	soplo, el	a tip

FRANCÉS	ALEMÁN	
monter	hier: einsetzen	
comptoir	r Schalter	
urine	r Urin	
cagoule	e Schirmmütze	50
poser	für ein Bild sitzen	
forçat	r Gefangene	
provocateur	provozierend	
provocant	provozierend	
jambage	e Türschwelle	55
radieux	strahlend	
râpé	abgetragen	
rainure	r Schlitz	
déchirer	zerreißen/ aufschlitzen	
gratter	abschaben	60
recommander	empfehlen	
restauré	rehabilitiert	
rétroviseur	Rückspiegel	
jute	r Sack, e Sackleinwand	
faire sauter	hier: sprengen	65
séance	e Sitzung	
en cachette	versteckt, geheim	
en sursaut	erschreckt	
terrain à bâtir	s Bauland, Grundstück	
mouchardage	r Hinweis, Wink	

	ESPAÑOL	INGLÉS
	sustancioso/a(fig.cheque)	substantial, a handsome sum of money
	sustituir	to take over
	tararear	to hum
	tarjeta de embarque,la	boarding card
75	tenue	dim
	tipo, el	block, chap
	torreón, el	tower
	trazar	to devise
	trozo, el	patch
80	tutear(se)	to address each other less formally

FRANCÉS	ALEMÁN	
substantiel	hoher (Scheck)	
remplacer	ersetzen	
fredonner	trällern	
carte d'embarquement	s Bordticket	
léger	schwach	75
type	r Typ, Kerl	
grosse tour	dicker Turm, r Festungsturm	
tracer	hier: entwerfen	
morceau	s Stück	
tutoyer	duzen	80

NOTAS

NOTAS